SOURIS ROSE

COLLECTION
DIRIGÉE PAR
JOSEPH PERIGOT

Vladimir

Quand le diable possède les filles

**dessiné par
Nicole Piétri**

Syros

A présent, d'énormes camions traversent le désert en vrombissant sous le regard morne des vautours. En dix heures, portant la charge de trois cents chameaux, ils vont plus loin que les caravanes d'autrefois en dix jours. Le lait, le beurre, arrivent dans les boîtes de fer blanc (pour ceux qui peuvent se les payer). Les frontières coupent les dunes, les montagnes, les étendues de cailloux; soldats et douaniers font comprendre à ceux qui n'ont pas de passeports que la terre du Bon Dieu n'est pas un boulevard où l'on peut emmener ses troupeaux et sa petite famille chercher l'eau et le picotin, n'importe où. D'ailleurs il n'y a plus d'eau.

Les chameliers touaregs, maures ou tibbous, les bergers peulhs, n'ont plus qu'à aller chercher fortune dans les bidonvilles de Dakar ou des autres grandes villes. Devenus quasiment clochards, ils rêvent encore à l'époque où, seigneurs d'un pays qui n'avait pour frontière que les points cardinaux, ils allaient où bon leur semblait, réglaient les disputes entre voisins à la lance ou au fusil, rançonnaient paysans et marchands, puis se délassaient sous les étoiles, récitant des poèmes pleins d'amours et de prouesses guerrières et buvant le thé à la menthe.

Ahmed Baba Salah, qui fait le guide à Bamako et espère amasser un jour suffisamment d'argent pour acheter une épouse jeune et jolie, m'a raconté le mariage de son arrière-grand-père, Mokhtar.

Depuis plusieurs jours, la tribu du cheikh Bou-Bakar campait dans une jolie oasis, quelque part entre Oualata et Tombouctou. C'était le temps de la douceur, après des semaines d'errance de puits en puits, sous le soleil et le vent de sable, à la recherche d'une herbe rase et dure comme de la brosse. Bêtes et hommes devaient se contenter de peu.

Ici, grâce à Dieu, on pouvait boire de l'eau fraîche jusqu'à ce qu'elle vous sorte du nez et des yeux, on pouvait siroter le thé à l'ombre des palmiers, on avait de quoi mitonner un couscous, pour changer de la galette d'orge cuite sous la cendre, du lait de chèvre et du beurre rance. En effet les habitants de l'oasis, des paysans noirs, avaient largement de tout : de la volaille, de l'agneau bien tendre, des légumes, de l'orge, du mil... Il suffisait de leur demander, on était chez des amis. Ou presque. Le cheikh Bou-Bakar accordait sa noble protection à cette oasis, ainsi qu'à une douzaine d'autres perdues dans un espace grand comme la Bretagne, contre les pillages et incursions d'autres tribus nomades. Moyennant quoi, quand

il y plantait ses tentes, il se servait largement des récoltes et des provisions des
paysans qui le servaient avec le sourire.
(Pouvaient-ils faire autrement ?)

Pour lors, les enfants de la tribu s'amu-
saient.

Sous les yeux tantôt admiratifs, tantôt
moqueurs des filles, les garçons, armés de
petits boucliers de cuir et d'épées de bois,
jouaient au duel. Le plus vif, le plus habile
à l'escrime, était Mokhtar, le fils de Bou-
Bakar, peut-être dix ans, beau comme un
lionceau, mince et souple comme un
roseau, tanné comme une datte. Il pro-
mettait d'être un grand guerrier.

Lorsqu'on fut fatigué de la guerre, ce
fut naturellement le tour de la musique
et de la poésie. Là aussi, Mokhtar était le
meilleur. Tandis que ses petits amis
l'accompagnaient au violon à une corde,
il chantait de beaux poèmes d'amour aux
petites filles accroupies dans l'herbe. Et
tout en chantant, il regardait Azza, la fille
d'Ali, le vieux compagnon de rezzou de
son père. Et Azza (qui avait plus ou moins
neuf ans), jolie comme une gazelle avec
sa lourde natte noire qui descendait
jusqu'à son petit derrière, lui rendait

parfois son regard, puis mordant ses
lèvres et gloussant, regardait ailleurs et
arrachait des brins d'herbes pour les
mâcher.

A ce moment Myriam, la mère d'Azza, parut au milieu des gosses. Le visage grave, elle prit sa fille par le bras et lui demanda de la suivre jusqu'à la tente de son père. En se retournant, Azza crut voir que la bouche de Mokhtar lui soufflait un baiser.

Sous la tente d'Ali, les attendait la vieille Saliha, la première épouse du cheikh Bou-Bakar. On était entre femmes.
Tandis que Myriam servait cérémonieusement le thé et les dattes, Saliha contemplait la petite Azza.

— Approche, ma belle, que je te voie mieux. Je n'ai plus les yeux de ma jeunesse.

A petits pas craintifs, Azza s'avança. La vieille lui posa la main sur la tête, frôla furtivement les cheveux, les épaules et les hanches, puis grogna, l'air content :

— Ah... oui, oui, oui, oui... on est mignonne et forte... bien, bien, bien ! Une chamelle, dix chèvres, vingt barres de sel et un fusil de guerre avec deux cents cartouches ? Je crois que c'est honorable, eh Myriam ?

Myriam fit la moue :

— Le cheikh Bou-Bakar pourrait être plus généreux ! Et moi, la mère, il n'y aura rien pour moi ? Pas de robe en coton, pas de couverture en laine de chameau, pas de sucre ?

— Par Dieu, Azza est donc une reine ? ronchonna Saliha. Elle rentre dans une famille de cheikh. Nous descendons du Prophète, béni soit-il...

— Justement, coupa Myriam. Êtes-vous des marchands pour être si avares ?

On finit par s'entendre et on décida que le mariage aurait lieu dans dix jours, tant qu'on était dans la fraîcheur et le confort de l'oasis.

C'est ainsi qu'Azza fut fiancée au cheikh Bou-Bakar, qui avait l'âge d'être son grand-père et qui pesait plus qu'une mule qui va au souk avec ses sacs de grain.

Bou-Bakar n'avait pas eu de chance avec ses femmes. (N'est-ce pas le lot de trop d'entre nous ?)

Saliha, sa première, qui le respectait et l'aimait comme au premier jour, lui avait bien donné des fils, cinq, six ou sept (elle ne s'en souvenait plus bien, il y avait eu des filles aussi), mais tous étaient morts de ceci ou de cela, la diarrhée, la fièvre quand ils étaient petits, ou la guerre quand ils furent en âge de combattre. La deuxième, Fatiha, lui fit trois filles, puis plus rien, malgré toute sa bonne volonté et les recettes des marabouts. La troisième, Malika, insolente et mauvaise cuisinière, fut répudiée. Enfin, la quatrième, Djamila, qui était si belle que les poètes en parlent encore, lui donna Mokhtar qui avait toute la grâce et l'esprit de sa mère. Mais le malheur voulut qu'un beau jour, se baignant dans l'étang d'une oasis trop proche de la terre des R'Guibat, elle fut enlevée par un parti de ces brigands, qui ne respectent rien. Et on ne la revit plus. Les poètes prétendent aussi qu'elle avait résisté très mollement, et même, ô honte, qu'elle avait tout fait pour faciliter le rapt et fuir un mari qu'elle n'avait jamais aimé. C'est sans doute une basse calomnie. Quoi qu'il en soit, de ce jour maudit, Bou-Bakar éprouva fort peu d'affection pour son fils unique. Il le rudoyait souvent et lui parlait fort peu, sinon pour lui grommeler de méchantes paroles.

Pour cette raison, la bonne Saliha chercha activement une autre quatrième femme pour son mari, comme le permet la Loi, une épouse qui lui donne enfin des fils, dont il puisse être fier pour perpétuer sa lignée.

Qui dira le chagrin d'Azza et Mokhtar ?

Cette nuit-là, Mokhtar désespéré (mais qui n'osait rien dire), n'en dut pas moins garder le troupeau de méharis de son père. Une bête est si vite égarée, si vite volée. Emmitouflé dans une couverture, il s'en fut s'asseoir sous les étoiles et, sans doute était-il en train de composer un poème plein de larmes, lorsqu'il entendit qu'on rampait derrière lui ! Saisissant son poignard, il bondit et se retourna. Azza se dressait devant lui toute menue, au clair de lune, dans sa robe d'indigo. A son cou, pendait une musette.

— Toi ? Qu'est-ce que tu fais là ?

D'abord, elle ne dit rien et serra la musette contre sa poitrine.

— Je viens prendre un chameau, chuchota-t-elle enfin, pour m'enfuir loin de ton père. Le beau fiancé que m'envoie Dieu !

Et elle éclata en sanglots si déchirants que Mokhtar la prit contre lui. C'était la première fois qu'il tenait une fille dans ses bras, et son cœur battit très très fort, plus fort que les tambours de guerre.

— T'enfuir, mais comment ça, tu es folle ? Tu ne sais pas mener un méhari ! Et à travers le désert, encore ! C'est une affaire d'homme !

Elle leva timidement la tête vers lui :

— N'es-tu pas un homme ?

Il la lâcha et faillit tomber à la renverse.

— Mais tu es la fiancée de mon père !

— Aaaah ! Plutôt mourir ! cria-t-elle d'une voix si aiguë qu'il lui plaqua la main sur la bouche. Elle le repoussa et, grondant comme une lionne, répéta : es-tu un homme, oui ou non ? N'es-tu bon qu'à te pavaner avec une épée de bois et lorgner de loin les filles en gazouillant des chansons idiotes ? Libre à toi de rester l'esclave d'un vieux bouc. Moi, je ne suis pas à vendre !

Effaré, il bégaya :

— M-m-mais... le désert... il faudra aller des jours et des jours. Comment...

Impatiente, elle ouvrit sa musette :

— J'ai volé des galettes. Va remplir ton outre de peau à la source. Partons !

Quand le Diable possède les filles...

Azza au Sahara, avec son méhari et son « homme »...

Mokhtar, qui connaissait bien les étoiles, prit la direction de l'Est. Serrant la fille contre lui, sur la selle de sa bête, il lui chuchotait dans l'oreille mille projets. Ils iraient, si Dieu voulait, jusqu'à Gao, d'où partent les caravanes, soit vers le Nord, à travers le Hoggar, soit vers le Sud et le pays des Nègres, le long du Niger. Il se ferait éclaireur de caravanes pour gagner sa vie, et au bout de quelques années, avec un peu de chance, marchand de thé, de sel ou d'esclaves. Ils auraient une belle maison avec des tapis et des serviteurs. Et aussi des troupeaux.

Hélas ! vers l'aube, lorsqu'ils voulurent se reposer, la chaleur monta brusquement, le vent se mit à souffler avec violence, mugissant entre les rochers. Quasiment aveuglés par les tourbillons de poussière, ils se réfugièrent sous un arbre qui était là, tout seul, sur la terre, au fond d'une cuvette.

Bah, ce n'était rien, ils étaient habitués à la dure. Abrités tant bien que mal du vent par le méhari accroupi et par la couverture de Mokhtar, ils trouvaient la vie belle. Azza était dans les bras de son amoureux, la tête sur son épaule, elle écoutait des poèmes qui n'étaient plus que pour elle...

Vers midi, la tempête se calma et ils purent de nouveau contempler le paysage et la petite troupe de guerriers qui avançait sur eux en demi-cercle. Mokhtar se dressa pour protéger son aimée. Il était trop tard pour fuir et le malheur était sur eux en la personne du cheikh Mahiedinne, l'ennemi le plus acharné du cheikh Bou-Bakar, long et maigre comme un *sloughi* (chien de chasse de race noble), le plus acharné pillard de l'Atar au Tassili. Cruel et rapace, il n'était heureux qu'à la chasse et la guerre, et la malchance avait voulu que pour se désennuyer, il ait quitté depuis plusieurs jours son campement, avec quelques fidèles compagnons, pour aller à la recherche de ce qu'il plairait à Dieu de lui envoyer : des gazelles, des outardes, des bergers peuhls et leur trou-

peau de bœufs... Imaginez sa joie féroce, lorsqu'il vit au bout de sa lance ces enfants de la tribu de cette vieille canaille de Bou-Bakar !

En un clin d'œil, Azza, pieds et poings liés, se retrouva recroquevillée-tassée dans le panier d'une chamelle de charge. Le petit Mokhtar, le cou serré par une corde, traîné par un méhari et houspillé à coups de ces longues tiges épineuses qui servent de cravaches, fut forcé à courir à moitié étranglé. Il se retenait pour ne pas pleurer et parvenait parfois à crier d'horribles insultes, mais c'était autant de piteux couinements qui faisaient bien rire ses ravisseurs, surtout quand il s'étalait, la tête dans les pierres et la poussière. Finalement, il s'évanouit d'épuisement et

de douleur; alors on le ficela en travers d'une selle comme une bête abattue à la chasse et la bande continua son chemin, à plus vive allure.

Au crépuscule, ils s'arrêtèrent pour souffler et se désaltérer à une vilaine mare saumâtre entourée de trois pauvres cabanes de boue et branchages et de quelques carrés de mil et de calebasses. Y habitaient une demi-douzaine de Noirs loqueteux et affolés à la vue du rezzou de Mahiedinne, car c'étaient encore des « protégés » de Bou-Bakaï. Mais ils semblaient si lamentables, si misérables, que Mahiedinne dédaigna de les piller et se contenta d'en faire bastonner un ou d'eux pour avoir l'eau plus vite.

Avec son rire sauvage, il leur montra ses captifs et les pria de dire à leur maître que la fillette si gracieuse convenait fort bien pour son harem. Quant au gamin, il le rendrait contre bonne rançon, mais qu'on ne le fasse pas trop attendre, sinon...

Le lendemain matin, Mahiedinne était de retour dans sa tribu. Azza fut sortie de son couffin par sa tresse et jetée aux pieds du cheikh, qui lui pinça le menton et lui renouvela le grand honneur qu'il lui faisait de la prendre dans son harem. Elle repoussa sa main, sauta en arrière et trébucha sur Mokhtar garrotté qui gigotait par terre comme un lézard sous un bâton fourchu.

— Je suis une femme libre et noble, hurla Azza d'une voix stridente, pas une vache ou une esclave noire ! Tu n'as pas le droit ! Et je suis la fiancée de Mokhtar !

— Ton fiancé, ce pou ? rugit Mahiedinne en flanquant un coup de pied dans les côtes de Mokhtar. Le pauvret roula sur lui-même, réussit à s'asseoir et cracha sur le cheikh. Une minuscule goutte de salive jaillit de sa gorge sèche et disparut dans la poussière.

Mahiedinne ricana :

— Aussi racaille que son chien de père ! Fiancée ? Je te défiancerai ! Qu'on m'enterre ce corniaud dans le sable jusqu'au cou ! Qu'il goûte de la douceur des baisers des vipères et des scorpions !

À ces mots, Azza se jeta à ses pieds en sanglots :

— Fais de moi ce que tu voudras, cheikh Mahiedinne ! Laisse-lui la vie, je t'en supplie ! Tu es le maître ! Pitié pour Mokhtar !

Les rires énormes de Mahiedinne et de ses guerriers montaient au ciel.

Le cheikh Bou-Bakar allait et venait dans l'oasis, étouffant de rage et de honte. D'abord, on s'était aperçu de la disparition de Mokhtar et Azza et, n'y comprenant rien, il avait envoyé des patrouilles de méharistes dans tous les sens. L'une d'elles, étant tombée sur les traces du méhari de Mokhtar, les avait suivies jusqu'à la mare où s'était arrêtée la bande de Mahiedinne. Là, les Nègres leur avaient raconté ce qu'ils avaient vu. Et à présent, Bou-Bakar était persuadé que son ennemi lui avait fait l'affront de se glisser la nuit jusqu'à son oasis et en avait profité pour enlever sa fiancée et son fils. Du rejeton de Djamila, qui l'avait ridiculisé (il en était convaincu!), il s'en souciait comme d'un poussin. Mais Azza, sa fiancée, par le Prophète (sur lui la bénédiction), quelle humiliation! Il y aurait guerre et vengeance dans le désert, telles qu'on en parlerait jusqu'à la fin des siècles!

Les guerriers de la tribu étaient maintenant rassemblés devant lui, armés jusqu'aux dents, les épées et les lances affûtées, les fusils graissés, cent cartouches par homme. La poudre allait parler!

Accompagnée des you-yous des femmes
et du roulement des tambours de guerre,
la cohorte, étendards au vent, partit vers
l'Est.

Ils trottèrent ainsi, un jour et demi, prenant à peine le temps de s'arrêter pour manger un morceau de galette et faire boire leurs bêtes.

Or, alors qu'ils cheminaient, le deuxième jour, sur la crête qui domine l'Oued Djidaïl, ils virent arriver sur eux une ligne de méharistes, comme eux tout de bleu vêtus, comme eux brandissant des armes et des étendards. Impressionnés, ils ralentirent le pas. Ce chien insolent de Mahiedinne leur épargnait la peine de la traque et de la poursuite, il ne se cachait pas.

Les claquements secs des pétoires qu'on armait retentirent dans toute la colonne.

De leur côté, les hommes de Mahiedinne s'arrêtaient et se préparaient au combat.

Le cheikh Bou-Bakar dégaina son épée et s'apprêta à la lever pour donner le signal de la charge. A ce moment, il vit Mahiedinne qui se détachait de sa troupe et, sans la moindre crainte, ni la moindre hâte, venait à sa rencontre sur un superbe méhari qui se dandinait comme une danseuse.

Parvenu à une cinquantaine de pas de Bou-Bakar, l'arrogant cria :

— *Salam aleîkoum* ! Quelle belle journée ! Bou-Bakar, que je ne m'égosille pas ! As-tu peur ?

— Peur de toi, crapaud de ta race !

Bou-Bakar fouetta sa monture et trotta jusqu'à son ennemi. L'autre allait-il le défier en duel ? Il se sentit subitement inquiet. Mahiedinne était beaucoup plus jeune et plus agile que lui. Néanmoins, lorsqu'il fut à sa hauteur, il le somma avec mépris :

— Je viens reprendre ma fiancée, jeune imbécile ! Rends-la moi sur-le-champ ou je vous massacre tous et j'emmène vos troupeaux et vos femmes !

— Pour le massacre, vieux porc, mille mercis, je m'ennuyais avec mes lions ! Ça nettoiera le désert de ta puanteur ! Et ce soir, je piquerai ta tête sur ma lance, à l'entrée de ma tente. Elle fera peur à mes ennemis plus que cent canons ! Mais pour ta fiancée, sache qu'il est trop tard ! Elle est déjà mariée !

— Tu as osé ? Que la lèpre te ronge, vermine, toi et ta descendance ! Par la barbe du Prophète (béni soit-il), elle sera veuve à l'instant !

Fou de rage, Bou-Bakar se rua sur Mahiedinne pour lui fendre le crâne d'un vaste moulinet de son épée. Mahiedinne para facilement le coup avec son bouclier et, se dégageant, se mit à tourner autour de Bou-Bakar en riant.

— Veuve ? Ah ! Ah ! Ah ! Ah ! Je te savais pire qu'un chacal, mais oserais-tu tuer ton propre fils ?

— Mon fils ? bafouilla Bou-Bakar stupéfait, et il faillit en lâcher son épée. Mon fils ?

Pour toute réponse, Mahiedinne prit son fusil et tira un coup en l'air. Et Bou-

Bakar vit alors une jeune chamelle baie sortir de la ligne des guerriers de son rival. La montaient Mokhtar et Azza, en habits de fête, (Azza avait les cheveux teints au henné), l'air confus, comme s'ils étaient la cause de quelque grand scandale. Le vieux en restait bouche bée.

— Mariés ? Mariés ? répétait-il, estomaqué.

— Mais oui, mariés, hier, par le *cadi* (juge) de ma tribu ! C'est une vraie petite lionne, cette gamine. Quant à ton fils, ah, je l'ai un peu bousculé à ma façon... pas un pleur, pas un gémissement ! Ne cherchant qu'à me sauter à la gorge ! Ils m'ont plu ! J'ai pensé que... Non mais, regarde-toi ! Et regarde-les !

Le cheikh Bou-Bakar regardait, regardait, on aurait dit un hippopotame du Niger contemplant le cul d'une vache. Et derrière lui, il entendait parmi ses hommes monter des fous rires difficilement réprimés.

Sautant à bas de leur chamelle, Mokhtar et Azza coururent, vite, vite à lui, lui baisèrent la main et levèrent des regards anxieux vers son gros visage taillé de cicatrices et couvert de poils blancs sauvages :

— Il est digne d'être cheikh ! dit douce-
ment Mahiedinne, et tous furent surpris,
car on n'avait jamais entendu dans sa
bouche une voix si douce. Tu veux des
hommes dans ta famille ? Pourquoi chercher des complications ? Vois comme ils
sont amoureux ! Pourquoi l'amour serait-
il seulement dans les poèmes et pas dans
le mariage ?

Suivit un long silence. Les deux lignes de guerriers s'observaient, le doigt sur la détente, les fusils braqués. Azza, toute rouge, se couvrit le visage de ses mains ; Mokhtar la prit par la taille. L'épée de Bou-Bakar pointait toujours vers le sol. Le vieux ruminait sa rage. Cette crapule de Mahiedinne l'avait possédé et il ne voyait pas ce qu'il pouvait faire.

Mahiedinne haussa les épaules et s'écria, cette fois de sa voix habituelle qui rappelait le rire d'une hyène :

— Bon, cheikh Bou-Bakar, tu n'es pas décidé à te battre ! Ce sera pour une autre fois ! Nous nous sommes dérangés pour rien ! Venez, les jeunes mariés, un joyeux festin vous attend dans ma tribu !

Et fouettant son méhari blanc, il s'en fut vers ses guerriers. Soudain, il s'arrêta, se retourna et lança à Bou-Bakar :

— Si le cœur t'en dit, viens aussi, toi, avec tous les tiens ! Vous êtes les bienvenus ! Je sais que vous êtes des goinfres, mais, louanges à Dieu, chez moi, vous pourrez vous gaver de méchoui et de couscous et de pâtisseries au miel jusqu'à l'étouffement !

Lors, sans attendre un signe de leur chef, tous les guerriers de Bou-Bakar déchargèrent leurs fusils en l'air, en poussant de grands cris et en frappant leurs

tambours. Puis ils foncèrent en fantasia derrière les mariés et Mahiedinne, acclamés par ses lascars.

Ali, l'air préoccupé et maussade, rejoignit Bou-Bakar.

— Ô, cheikh, qu'est-ce que c'est que cette injustice ? Ma fille s'est mariée... et Saliha avait promis à Myriam une chamelle, dix chèvres, dix pains de sucre...

Il s'arrêta brusquement dans une sorte de hoquet, le visage de son cheikh avait une expression étrange. Puis Bou-Bakar, refoulant l'idée de planter son épée dans le ventre de l'imbécile, le frappa familièrement sur l'épaule :

— Je ne me souviens plus de ce que ma femme a pu promettre à la tienne. Mais je t'en offre le double. Puisqu'il y a l'amour en plus ! Ha !

Après la noce, Azza vint habiter dans la famille de son beau-père et de ses belles-mères, comme le veut la coutume, pour apprendre à être une bonne épouse et une bonne ménagère. Mokhtar resta chez le cheikh Mahiedinne pour apprendre à être un bon guerrier et amasser de diverses façons quelques chameaux, des esclaves et un petit troupeau pour monter son ménage. Ils attendirent ainsi trois ans avant de vivre ensemble et, louanges à Dieu, cette séparation nécessaire ne fit que renforcer leur amour.

FIN

SOURIS ROSE